SCHELLEN-URSLI

Ein Engadiner Bilderbuch

Erzählung: Selina Chönz
Bilder: Alois Carigiet

Orell Füssli

Alois Carigiet wurde für sein Gesamtschaffen als Kinderbuchmaler vom Internationalen Curatorium für das Jugendbuch mit der Hans-Christian-Andersen-Medaille ausgezeichnet. Ausserdem wurde dem Künstler der «Jugendbuchpreis des Schweizerischen Lehrervereins» verliehen.

Von Alois Carigiet und Selina Chönz sind in gleicher Ausstattung die beiden Bilderbücher vom Schellen-Ursli und seiner Schwester, «Flurina und das Wildvöglein» und «Der grosse Schnee» erschienen sowie mit Text und Bildern von Alois Carigiet, «Zottel, Zick und Zwerg», «Birnbaum, Birke, Berberitze» und «Maurus und Madleina».

316.–330. Tausend

AN EXPLANATION

All through the summer in the Engadine Mountains of Switzerland the cattle feed in the mountain meadows, carrying bells round their necks. The calves have little bells and the cows have big ones. When they come into their sheds for the winter the bells are taken off. In March when winter is over, the Spring Festival comes, and the bells are rung in the village to celebrate the end of the cold, dark days. All the boys march in procession through the street, each one carrying the biggest bell he can, and they ring their bells to drive the winter away and welcome back the sunny spring. And the village people smile, and fill the bells with cakes and nuts and apples. But only the big boys can carry the big bells: the little boys come at the tail of the procession carrying little calf-bells. This is the story of Ursli, and of the adventure he has when the Spring Festival comes round and he decides that he is old enough to have a big bell for the first time.

«Schellen-Ursli» ist in folgenden fremdsprachigen Ausgaben erschienen: in *zwei romanischen Idiomen* beim Verlag der Ligia Romontscha, Chur, unter dem Titel «Uorsin», *englisch* bei Oxford University Press, London, *amerikanisch* bei Henry Z. Walck, Inc., New York, unter dem Titel «A Bell for Ursli», *französisch* beim Office du Livre S.A., Fribourg, unter dem Titel «Une cloche pour Ursli» (eine erste französische Ausgabe war erschienen bei Desclée de Brouwer & Cie, Bruges, unter dem Titel «Jean des Sonnailles»), *schwedisch* beim Berghs Förlag A.B., Stockholm, unter dem Titel «Ursli och Klockan», *japanisch* bei Iwanami Shoten, Tokio.

© Orell Füssli Verlag Zürich und Köln 1971. Printed in Switzerland. Druck: Orell Füssli AG, Zürich. Einband: Eibert AG, Eschenbach.
ISBN 3 280 01644 4

GELEITWORT

Vor Jahren liess sich der inzwischen berühmt gewordene Bündner Maler Alois Carigiet dazu bewegen, ein Bilderbuch für die Kinder zu schaffen. Der Ansporn kam von der reizenden Erzählung der Engadiner Dichterin Selina Chönz.

Die so lebendig gestaltete, Buben und Mädchen immer wieder begeisternde Geschichte vom «Schellen-Ursli» gründet auf der uralten Überlieferung des Chalanda-Marz: so nennt sich das Fest der romanischen Kinder, die den Winter ausschellen. Bald folgten «Flurina und das Wildvöglein» – Schellen-Urslis Schwester im Bergsommer – und «Der grosse Schnee» – eine Romanze der beiden Kinder im Lawinenwinter. Sie bilden mit dem «Schellen-Ursli», jedes in seiner starken Eigenart, einen zauberhaften Dreiklang, lieblich und herb zugleich. Frei von oberflächlicher Süssigkeit und altkluger Moral sprechen diese drei Bücher unmittelbar zum Kind.

So haben zwei Künstler der rätoromanischen Schweiz den Kindern ein Werk geschenkt, das in seiner künstlerischen und menschlichen Aufrichtigkeit den Weg in die weite Welt gefunden hat. Möge es, in viele Sprachen übersetzt, mit den Klängen von Schellen-Urslis Glocke und dem Freiheitsdrang von Flurinas Wildvöglein weiterhin echt Schweizerisches über Länder und Meere tragen und die Herzen vieler Kinder erfreuen! Jon Pult

Hoch in den Bergen, weit von hier,
da wohnt ein Büblein so wie ihr.
In diesem Dörfchen, arm und klein,
ganz unten steht sein Haus allein.

High in the mountains, far and blue,
There lives a small boy just like you.
See the wee village, poor but neat?
His is the last house in the street.

Seht euch das Haus von nahe an:
Alt ist's, und Bilder sind daran.
Davor in Kleidern rot und blau
da stehn ein Mann und eine Frau.
Sie haben einen kleinen Sohn,
der Ursli heisst; hier kommt er schon.

The house is old and snug and small,
With pictures painted on the wall.
Look closer. Do you see those two
Standing there dressed in red and blue?
A man and wife, with one small son.
His name is Ursli. See him run!

Das ist der Ursli, schaut ihn an,
ein Bergbub wie ein kleiner Mann!
Gradauf wie eine Bergesspitze
steht auf dem Kopf die Zipfelmütze;
sie ist aus Wolle von den Schafen,
die jetzt in Urslis Stalle schlafen.
Denn Urslis Mutter strickt und spinnt
und webt die Kleider für ihr Kind.
Der Vater nagelt Urslis Schuhe
und schafft für ihn fast ohne Ruhe.

Yes, here our mountain boy you see,
Quite like a man, you must agree.
Upon his head a pointed hat,
(The mountain, too, is shaped like that.)
It's made of soft wool from the sheep
That now in Ursli's stable sleep.
For Ursli's mother spins, weaves, stitches,
And knits his shirt and hat and breeches.
His father has the boots to make,
And toils all day for Ursli's sake.

Der Ursli hilft dem Vater recht
und dient ihm wie ein kleiner Knecht.
Er hilft ihm füttern, tränkt die Kühe
und wischt den Stall in aller Frühe.
Ruft dann die Mutter nach dem Kind,
so kommt der Ursli ganz geschwind,
geht Wasser holen mit dem Joch
und ist am Herd ein kleiner Koch.
Auch melkt von seiner lieben Geiss
die Milch er selber schäumend weiss.

But Ursli helps his father, too,
As much as any man would do,
Waters the cows and brings them hay,
Cleans out the stalls by break of day.
When mother calls him to the house
Ursli comes scurrying like a mouse
To bring the yoke with water pails,
Or help to cook. He never fails
To milk his friend the goat, and see
The milk froth white as white can be.

Hat er dann seine Pflicht getan
in Haus und Hof und am Gespann,
dann springt er fort, um mit den vielen
Dorfbuben auf dem Platz zu spielen.
Heut geht er eine Glocke borgen
zum Fest des Glockenumzugs morgen.
Er möchte eine grosse haben,
drum geht er mit den grossen Knaben.

When he's done everything he's able
In house and yard, in shed and stable,
He rushes out with cheerful noise
To play with all the village boys.
Today he tells them he must borrow
A bell that he can ring tomorrow
In the Procession of the Bells.
See how with pride young Ursli swells!
He thinks he'll get one large and loud,
And help the big boys lead the crowd.

Da kommt aus seinem Bauernhaus
gerade Onkel Gian heraus.
Er hat die Glocken schon bereit,
und jeder von den Buben schreit
nur nach den schönsten, nach den grossen.
Der Ursli wird gezerrt, gestossen,
und wie er drankommt, oh, schaut her,
die kleinste Schelle kriegt grad er!
Da weint er traurig bittre Tränen:
Jetzt muss er sich vor allen schämen.
Schon ruft die Bubenschar ihm zu:
«Der Schellenursli, der bist du;
beim Umzug wird der letzte sein
der Schellenursli ganz allein!»

At Uncle Gian's farmhouse, all
The boys for bells have come to call.
Good uncle quickly brings them out,
And everyone begins to shout:
"The big one's mine!" "I want the best!"
Ursli is pushed behind the rest.
And when at last the front he gains
The tiniest tinkle-bell remains.
Now he sheds sad and bitter tears,
He'll be a laughing stock, he fears,
The boys already laugh and boo:
"Tinkle-bell Ursli, look at you!
When the Procession marches past,
Tinkle-bell Ursli, you'll be last!"

Verlassen sitzt er da zuletzt
vor seiner Schelle ganz entsetzt.
Er möcht im Zug gern vorne sein,
nicht mit den Kleinen hintendrein,
denn vorne gehn die grossen Bengel
und schütteln stolz die Glockenschwengel.
Sie gehn voran mit lautem Schall
um jeden Brunnen, jeden Stall.
Sie ziehn hinein in jedes Haus
und schellen dort den Winter aus;
dazu ertönen ihre Lieder
und grüssen froh den Frühling wieder.
Zum Danke füllt man ihre Glocken
mit Nüssen, Schnitz und Kuchenbrocken.
Die Kleinen aber müssen warten
und frieren in dem Schnee, dem harten.
Mit Kälberschellen, hintendrein,
gehn sie mit leeren Taschen heim!
Urs lässt sich nicht als Kälblein treiben;
er will kein Schellenursli bleiben!

Er wär bereit zu einer Tat,
doch weiss er lange keinen Rat.
Er denkt und denkt in sich hinein –
da fällt das Maiensäss ihm ein!
Hängt dort nicht eine grosse Glocke
seit langem schon am selben Pflocke?

The boys go off. They all despise him.
Poor Ursli's bell quite horrifies him.
He'd hoped to march in front this year,
Not with the small boys in the rear.
In front the fine young men march proudly,
Swinging their bells and singing loudly.
They lead the way, with clang and yell,
Past every stable, every well.
In every house they march about
Ringing to drive the winter out,
And then with all their might they sing
To welcome back the happy spring.
Then everybody's glad and thrilled,
With nuts and cakes the bells are filled.
But outside, in the crisp, cold snow,
The little boys must wait, you know;
With little calf-bells back they come,
And bring their empty pockets home.
Ursli no calf intends to be.
A tinkle-bell Ursli? No, not he!

He's ready to do anything,
But all ideas have taken wing.
He thinks and thinks, then gives a hop –
Their summer hut on the mountain top!
There on a nail there used to hang
As big a bell as ever rang!

Schon macht er schnell sich auf den Weg
und fürchtet weder Wald noch Steg.

As quick as thought he's on his way,
No fears would make our Ursli stay.
He braves dark forests, footpaths steep,
The narrow bridge, the chasm deep.

Bald aber endet seine Wonne;
am Berg, so nahe an der Sonne,
schmilzt schon der Schnee; er sinkt hinein
vom Schuh zum Knie, das ganze Bein.
Er möchte schrein, der kleine Wicht,
doch weiss er, Mutter hört es nicht.
Vielleicht, vielleicht hängt auch die Glocke
jetzt gar nicht mehr am selben Pflocke?
Vergebens wären Sorg und Müh;
was würd er tun dann morgen früh?
Doch vorwärts gehen seine Schritte,
und nah und näher rückt die Hütte.
Sie steht im letzten Sonnenlicht,
und Ursli hält sie fest in Sicht.

But soon his burst of joy is done.
As he climbs higher, near the sun,
The snow is melting. In he sinks
Above his knees. Poor Ursli thinks
He's going to cry. But who will hear?
No crying will bring Mother near.
Perhaps the great bell, after all,
No longer hangs upon the wall –
"If it's not there", he thinks in sorrow,
"Whatever should I do tomorrow?"
But forward go his steps again,
And now, the hut grows near and plain,
Glowing beneath the sunset light
As Ursli sees it come in sight.

Hier angelangt nach schwerem Lauf
bringt er die Tür erst gar nicht auf.
Es hilft kein Schütteln an dem Ding;
der Schlüssel hängt an Vaters Ring.
Schaut, durch das niedre Fensterlein
zwängt er sich endlich doch hinein!

The hard climb's done, he's here at last.
But now he finds the door shut fast,
Nor will his shaking move the thing.
The key is kept on Father's ring!
Still, there's the window. Ursli's thin.
He can just manage to squeeze in.

Wahrhaftig hängt am gleichen Pflocke
noch immer seine grosse Glocke.
«Was? Schellenursli?» Er muss lachen.
«Die werden morgen Augen machen!»
Schon klettert er an Bett und Wänden
empor, er muss sie heben, wenden.
Die schönste ist sie, schwer und rund,
der Gurt bestickt auf Blumengrund.
Die Schnalle glänzt mit goldnem Schein.
Und erst der Klang, so voll und rein!

The nail's still there. And on it, yes,
The great bell hangs, as we can guess.
"Tinkle-bell Ursli!" See him grin.
"Oh, how they'll stare when I walk in!"
He's scrambled on the bed, and stretched
High up the wall – and down it's fetched.
Heavy and round, how fine to see!
A belt of flowered embroidery
To hang it from, with clasp of gold.
And how it rings! So clear and bold!

Doch grossen Hunger spürt er nun,
dreht suchend sich im Kreis herum.
Da hängt fürwahr über den Tassen
ein Brot, wie für ihn da gelassen.
Er setzt sich hin, es schmeckt so fein;
gar müde sind ihm Kopf und Bein,
doch ist er los den ganzen Kummer,
und leise, leise kommt der Schlummer.
Das Strohbett ist ein gutes Nest,
da kann man schlafen lang und fest!

By now he's hungry as can be,
He looks all round, what can he see?
Ah! Hanging up above the dishes,
A loaf, the very thing he wishes.
Then he sits down. It's grand to eat.
But he's tired out, from head to feet,
And since he's free from every care
Slumber comes softly, light as air.
The bed of straw's a cosy nest.
deep, sound sleep can Ursli r

Das ganze Dorf in Haus und Stall,

die Menschen, Tiere überall

sind schon daheim, ruhn müd und träumen.

Am Berghang nur unter den Bäumen

die Füchslein, Hasen, Gems und Reh,

sie stapfen frierend durch den Schnee.

Da sehn sie über weisser Flur

im Mondlicht eine Kinderspur.

Sie folgen ihr in flinkem Lauf

bis zu dem Maiensäss hinauf.

Da wittern sie, spitzen die Ohren:

«Was hat der Ursli hier verloren?»

Now in the valley, far below,
To house and stable homeward go
Tired men and beasts, to dream at ease.
But underneath the mountain trees
Small fox and chamois, deer and hare,
Out in the snow must coldly fare.
There in the moonlight they can trace
Child footprints on the earth's white face.
And up the snow track softly creeping
They reach the hut and Ursli sleeping.
Fox pricks his ears, and says to deer:
"What can that boy be doing here?"

Die Mutter wartet, denn im Dunkeln
durchs Fenster schon die Sternlein funkeln.
Sie schaut hinaus auf Platz und Wege,
ob sich der Ursli nirgends rege.
Der Vater sitzt am Ofen schon,
frägt ärgerlich nach seinem Sohn.
Sie rufen ihn vor jedem Haus,
doch nirgends kommt ihr Bub heraus.
Es sucht nach ihm der ganze Ort;
es ist und bleibt der Ursli fort.
Umsonst ist der Laternen Schein,
dem Ursli leuchtet er nicht heim.

Mother is waiting. Darkness reigns.
Small stars shine through the window pane
She looks all round in street and square
To see if Ursli's hiding there,
While Father by the stove sits down
And asks quite crossly for his son.
But though at every house they call,
No one has seen the boy at all.
Now everybody seeks all over,
But still no Ursli they discover.
In vain the lantern lights the gloom,
Its beams do not bring Ursli home.

Die armen Eltern, ganz verstört,
sind ohne Ursli heimgekehrt.
Sie setzen sich am Feuer nieder;
doch ihre Hoffnung kehrt nicht wieder.
Die Mutter weint. Es tickt die Uhr.
Wo steckt ihr lieber Ursli nur?
Der Vater findet keine Ruh,
schnitzt noch für Ursli eine Kuh.
Es schläft das Dorf; sie schlafen nicht
und warten bang aufs Morgenlicht.

anxious parents, worn and sad,
Go home again without their lad.
They sit and watch the pine-logs burn,
And still their boy does not return.
Poor mother weeps. The clock ticks on.
Alas, where has young Ursli gone?
Father can't settle anyhow;
He starts to carve his son a cow.
The village sleeps, but wide awake
They sit and wait for day to break.

Nun schwindet bald die tiefe Nacht,
und hinterm Berg die Sonn erwacht.
Den Ursli weckt ihr erster Strahl.
Kaum wach, merkt er mit einemmal:
Es fängt bereits schon an zu tagen –
Was werden Vater, Mutter sagen?
Er nimmt die Glocke; schnell, ade,
bergab geht's auf dem harten Schnee;
denn über Nacht ward's wieder kalt
auf Berg und Triften und im Wald.
Die Tierlein fliehen alle weit,
so lang sind Urslis Schritte heut.

Now swiftly flies the deep, dark night.
The mountain sees the sun's first light.
And as the sunny morning breaks
Young Ursli rubs his eyes and wakes.
He must at once be on his way –
Whatever will his parents say?
He takes the bell. Quick, see him go
Running across the firm, hard snow,
For overnight it froze again
On mountain, pasture, wood and plain.
The animals flee far and wide
So swift is Ursli's homeward stride.

Im Augenblick, ihr seht es hier,
steht er vor der geschnitzten Tür.
Er hebt den Klopfer, eins, zwei, drei . . .
da eilen Schritte schon herbei.

A twinkling, and, as you can see,
Before his own carved door stands he.
Three times he bangs the knocker down,
And footsteps to the door have flown.

Die Mutter öffnet wie der Wind,
sieht ihn und herzt ihr liebes Kind.
Der Ursli klettert ihr am Rocke
hinauf zum Hals mitsamt der Glocke.

Quick at the latch his mother tugs,
Her darling son she sees and hugs,
While Ursli climbs her skirt and clings,
Arms and bell round her neck he flings.

Nun ist der Glockenumzug da,
und wer geht vorne dran? Hurra!
Der kleine Ursli, bim, bam, bum,
der hat die grösste Glocke um!
Und alle Leute bleiben stehn
vor Freude, dass sie Ursli sehn.

The Bell Procession's on its way,
And who is that in front? Hurray!
It's little Ursli, ding, dong, dell,
Who has by far the biggest bell.
And everyone is full of joy
To see once more that little boy.

Hier sitzen alle drei beim Essen.

Der Kummer ist schon fast vergessen.

Jetzt hat der Ursli endlich Zeit

und kann erzählen lang und breit,

wie er die Schande hat vermieden.

Der Vater ist nun auch zufrieden.

Die Mutter bringt Kastanienribel

und obenauf geschwungnen Nidel.

Der Ursli isst, soviel er kann.

Die Eltern sehn sich glücklich an.

To dinner now the three sit down,
Vanished is every care and frown,
And Ursli, his adventure past,
Tells all that happened, first to last,
And how he has escaped from shame.
Father's too overjoyed to blame.
Mother brings chestnuts, piping hot,
With cream poured over – such a lot!
And while they watch him happily,
Young Ursli eats enough for three.

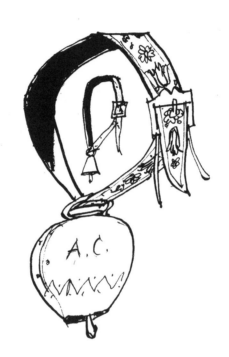